Een loeder van een moeder

Voor Ilmy

Boektoppers 2003

Boektoppers, bekende en bekroonde boeken,
is een uitgave van Malmberg, Den Bosch

In de serie Boektoppers 2003 groep 5/6
(ISBN 90 345 12630) verschenen de volgende titels:

Kampioenen!, Vivian den Hollander
ISBN 90 345 12681
De stem van de schildpad, Hans Hagen
ISBN 90 345 1269X
Een loeder van een moeder, Mirjam Mous
ISBN 90 345 1272X
De hond van juf Jansen, Elisabeth Mollema
ISBN 90 345 12746
Hokus Pokus… plas!, Carry Slee
ISBN 90 345 12711

Een loeder van een moeder
Tekst: Mirjam Mous
Illustraties: Marja Meijer
© 2000 Uitgeverij Van Holkema & Warendorf, Unieboek bv, Houten
Uitgegeven met een licentie van Uitgeverij Van Holkema & Warendorf,
Unieboek bv, Houten
www.unieboek.nl
Omslagontwerp: Annet van de Moosdijk
Typografie: Studio Bassa, Culemborg
Zetwerk en opmaak: Harrie van Son & Partners, Son/Eindhoven

ISBN 90 345 1272X
Artikelnummer 261

Mirjam Mous
Een loeder van een moeder

met tekeningen van Marja Meijer

2003 Malmberg, Den Bosch
België: Van In, Wommelgem

Moederziel-alleen

Mijn oude moeder werd overreden door een krokodil op rolschaatsen. Daarom moest ik een nieuwe zoeken.

Ik knipte de zijkant uit een kartonnen doos en schreef er in koeienletters op:

MOEDERZIEL-ALLEEN KIND
ZOEKT NIEUWE MAMA
IN VERBAND MET VERLIES
IN RUIL VOOR GRATIS ONDERDAK

SJOERD, 9+
VILLA KOEKOEKSNEST
BEETHOVENLAAN 333

Ik hing het bord op in de supermarkt. Onder een vermist poesje en een fiets te koop, nog in goede staat. Ik kocht een zak wokkels, drie milkyways en een gezinsfles cola en ging thuis op de bank op mijn nieuwe moeder zitten wachten.

Op de televisie was een tekenfilm, die *Alleen op de wereld* heette. Net toen er iets achter mijn oog begon te kriebelen, ging de bel.

Moeder Koek

Op de stoep stond een Chineesje. Ze gaf me een gelukskoekje. 'Je moet het openbreken,' zei ze. 'Er zit een boodschap in.'

Ik brak het koekje open met mijn tanden en haalde een papiertje te voorschijn.

Je zult snel een moeder vinden, stond erop.

Ik keek links en rechts, maar zag alleen geparkeerde auto's en een schoorsteenveger. Ook achter de vlierbessenstruik was geen moeder te bekennen.

'Zo snel gaat het niet,' mopperde ik.

'Je kijkt niet goed,' zei het Chineesje. 'Je vergeet om vlak voor je neus te kijken.'

Ik keek vlak voor mijn neus. Daar stond het Chineesje.

'U kunt mijn moeder niet zijn. U bent geel en ik ben wit.'

'Je moet niet zo nauw kijken,' zei het Chineesje. 'Op het bord in de supermarkt stond niks over kleur.'

Ik haalde mijn schouders op. 'Kom dan maar binnen.'

Toen ze langs me liep, rook ik loempiaatjes en daar ben ik toevallig dol op.

'Kunt u lekker koken?' vroeg ik.

Het Chineesje knikte. 'Pekingeend, noedelsoep, gele rijst, babi pangang, kip in zoetzure saus, saté, nasi goreng, hete boontjes, gebakken banaan, kroepoek, hutspot en erwtensoep.'

Ik trok mijn wenkbrauwen op.

'Ik woon al een tijdje in Nederland,' legde ze uit.

De liefde van deze jongen gaat door de maag. Ik bracht haar meteen naar de keuken. 'Als u mijn mama wordt, moet ik wel uw naam weten.'

'Ik ben mevrouw Chonghaijongfalxinegano-wong,' zei mijn nieuwe moeder.

Ik probeerde haar naam uit te spreken. Het lukte voor geen meter.

'Ik noem u moeder Koek. Naar het gelukskoekje dat u me hebt gegeven.'

Moeder Koek duwde me op een stoel. 'Ik ga een omeletje voor je bakken, mijn zoon.' Ze plunderde de koelkast en boog zich over het fornuis. Toen ging de bel opnieuw.

Beroemde Moeder

De vrouw aan de deur kwam me bekend voor.

'Heb ik u al niet eerder gezien?' vroeg ik.

'Dat kan,' zei ze nuffig. 'Ik ben heel beroemd.'

Achter de heg gluurden fotografen door camera's met veel toeters en bellen. Ik kneep mijn ogen dicht voor het verblindende licht van een flitser.

'Waar bent u beroemd om?' vroeg ik nieuwsgierig.

'Ik sta elke dag in de krant en ik kom vaak op televisie. In programma's die wereldwijd worden uitgezonden.' Ze draaide haar hoofd om en glimlachte schalks naar een man van de Telegraaf.

'Hebt u iemand gered of vermoord? Bent u een bekende zangeres of een filmster? Hebt u een bijzondere uitvinding gedaan of de Nobelprijs voor de vrede gewonnen?' vroeg ik. 'Waaróm komt u in de krant en op tv?'

Ze sperde haar ogen wagenwijd open. 'Hoe moet ik dat nu weten? Je bent beroemd of je bent het niet.'

De persmuskieten kwamen steeds dichterbij. Ze trapten de viooltjes plat en gooiden peuken op het gras. Ik trok de beroemde vrouw snel de hal in en sloot de deur.

'Het is fijner om beroemd te zijn als niemand je ziet,' vond ik.

Ze streek haar jurk glad en controleerde haar

lippenstift in de spiegel. 'Suffie,' zei ze. 'Wat jij nodig hebt, is een moeder met veel levenservaring. Les een: als je binnenblijft, word je nooit beroemd.' Ze deinde de woonkamer in en bekeek de schilderijen aan de muur, de kroonluchter en de antieke meubelen. 'Mmm,' zei ze tevreden. 'Deze omgeving is uitermate geschikt voor een beroemde moeder.'

Ik was nog niet zover.

'Waarom zou ik u als moeder willen?'

Ze liet haar gelakte nagels door haar zuurstok-roze boa glijden. 'Het hebben van een beroemde moeder heeft vele voordelen. Je kunt over me opscheppen bij je klasgenootjes. Wie wil er nou niet bevriend zijn met het kind van een ster?'

Daar zat wat in. Ik kreeg op school regelmatig een stomp van de grote gemene jongens. Eentje had me laatst nog een sloot ingetrapt. Een beetje bewondering zou me goeddoen.

Moeder Koek riep vanuit de keuken: 'Sjoerd, je eitje is klaar.'

'Je hebt al een moeder,' zei de ster sip. Ze stond op het punt om dramatisch in tranen uit te barsten.

'Dat geeft niet. Twee moeders zijn handiger. Als er eentje wegloopt, heb ik er nog altijd een over,' bedacht ik gauw.

Ik nam haar mee naar de keuken en gaf haar de helft van mijn omelet.

'Mag ik uw handtekening?' vroeg Koek en mijn beroemde moeder krabbelde **Elonora** op een papiertje.

Voor de derde maal dingdongde de bel.

Grootmoeder

Toen ik de deur opendeed, leek het nacht buiten. Ik kon geen hand voor ogen zien en tastte in het duister. Er stond iemand die zacht aanvoelde en vreselijk groot was.

'Je staat in mijn zon!' riep ik tegen een paar enorme voeten.

De zonsverduistering ging een kilometertje of wat achteruit en ik stapte op het bordes om haar te bekijken. Het was een reuzin met joekels van schouders en handen zo groot als kolenschoppen. Ze fluisterde, maar toch gierde haar stem als de wind en de bladeren in de bomen ruisten.

'Ik kom naar de vacature van moeder solliciteren.'

'Moet u het niet hogerop zoeken?' vroeg ik aarzelend. 'Zo'n baantje van moeder is misschien te min voor u.'

Ze ging verdrietig in het gras zitten. Nu kon het daglicht haar beter aan. Zonnestraaltjes piepten boven haar weerbarstige haren uit. 'Ik wil zo graag een kind,' zuchtte ze. 'Maar niemand wil een Grootmoeder.'

Ze had de treurigste ogen die ik ooit had gezien en ik kreeg medelijden.

'Ik zou u best willen hebben, hoor. Maar u past niet in de villa.'

Ze staarde naar het dak en duwde de windhaan recht.'Ik ben reuzehandig. Ik kan overal bij. Als je een ladder nodig hebt, hoef je mij maar te roepen.'

Elonora en Koek waren niet bepaald lang. Deze Grootmoeder was een nuttige aanvulling voor mijn verzameling.

'Als u in het huis past, vind ik het goed,' besloot ik.

Ze lachte iets te uitbundig. De populier begon in de storm te wankelen en vloog bijna in de lucht. Grootmoeder hield hem nog net tegen. Toen wrong ze zich op handen en voeten door de (godzijdank grote) voordeur.

De zolder was het hoogste vertrek van het huis. Aan het plafond bungelden spinragjes, want daar kon mijn oude mama niet bij. Ik loodste Grootmoeder over de traptreden en langs het hok van de verwarmingsketel naar de lichte zolderkamer met de brede tuimelramen.

'Wat prachtig!' fluisterde Grootmoeder gelukzalig en meteen waren alle spinnen weg.

Zolang ze in elkaar gevouwen op de grond zat, hoefde ze haar hoofd niet te stoten. Ik bracht wat kussens en dekens, waarmee ze haar tere lichaamsdelen kon ondersteunen.

'Kindje van me,' kreunde ze tevreden en ze strekte haar armen uit om mij te omhelzen.

Ik maakte me uit de voeten. Stel je voor dat ze me fijn zou knijpen. Met haar grote lijf kon dat best.

'Ik haal wat te eten voor u!' riep ik en ik liep naar de keuken om Koek in te schakelen.

Met zijn drieën droegen we vijf schalen met lekkernijen naar boven. Grootmoeder gebruikte een soepkom als lepel en een tafellaken als servet.

'Berg je!' riep ze na de laatste hap.

We grepen elkaar vast en gingen onder een oude tafel liggen. Net op tijd. De explosie van een boer liet de hele zolder schudden.

'Sorry,' prevelde Grootmoeder netjes.

Elonora keek haar jaloers aan. 'Jij bent vast nog beroemder dan ik.'

Grootmoeder zette mij voorzichtig op haar knie en liet me over haar scheenbeen naar beneden roetsjen.

'Ik ben niet beroemd, maar ongelukkig,' zei ze.
'Het is een ellende om maatje onvoorstelbaar te
hebben. Ik heb niks om aan te trekken.
Daardoor kom ik haast de deur niet uit.'

'Dus je bent echt niet beroemd?' vroeg Elonora
voor de zekerheid nog een keer.

Toen Grootmoeder haar hoofd schudde, ging
Elonora overstag.

'Dan mag je blijven. In de buurt van andere
sterren val ik niet genoeg op.'

'Natuurlijk blijft ze,' vond Koek. 'Nu Sjoerd drie
moeders heeft, heb ik veel tijd om te koken. Ik ga je
heerlijk vertroetelen. Mijn eigen grootmoeder heb ik
nooit gekend. Ik heb nog een heleboel in te halen.'

Moeders Mooiste

Elonora bleek een moeder van niks. Ze was vooral
uithuizig. En als ze dan eindelijk thuiskwam, dook
ze met haar neus in de leesmap. Haar poezelige
voetjes lagen me in de weg op de bank. Ze zapte
langs alle kanalen om een glimp van zichzelf op te
vangen. Mijn favoriete tv-programma's kon ik wel
vergeten.

Ik besloot haar op straat te zetten.

Maar Hilda hield me tegen.

Ze droeg een rood klokrokje en had heel lange
benen. Bij elke stap dansten haar zwarte krulletjes
op en neer. Haar neusje was spits, haar mond leek
op een pasgeplukte aardbei en in haar kin zat een
kuiltje.

Hilda was moeders mooiste. Ze was om te
zoenen.

'Dag,' zei ze. Ze blies een kauwgombel en liet
hem klappen. 'Ben jij die jongen met die beroemde
moeder? Ik wil haar wel eens in het echt zien.'

Ik durfde niet te zeggen dat ik net van plan was
om Elonora te ontslaan. Ik kon gewoon niks zeggen.
Ik stond met mijn mond vol tanden voor paal.

Hilda's hand gleed in de mijne. Haar huid was
koel en zacht. Terwijl ik stiekem haar kootjes

streelde, trok een warme scheut door mijn buik.
Ik nam een omweg en zweefde aan Hilda's hand
langs een vijver met eendjes. Een groepje grote
jongens keek me jaloers na. We kwamen door het
tunneltje, waar je zo lekker hard kunt gillen.
Hilda was bang in het donker en drukte zich
tegen me aan. Van zo dichtbij rook ze naar
framboos. Ik legde mijn armen losjes om haar heen.
Ze duwde haar hoofd in het holletje van mijn hals.
Zwarte haartjes kietelden mijn wangen.
We schurkten tegen elkaar aan en mijn hand gleed
over haar angoratruitje. Ik zoende haar zijdezachte
oortjes. Haar lach klonk als het getinkel van klokjes.
Toen drukte ze haar lippen op die van mij en hoorde
ik een orkest door het tunneltje galmen.

Hilda bestond niet echt. Ik verzon haar als ik me
alleen voelde. Maar ik liet Elonora toch blijven.
Je kon nooit weten. Stel je voor, dat ik op een dag een
echte Hilda tegenkwam, die mijn beroemde moeder
zou willen zien.

Moedertjelief

Ik zat op mijn kamer een liefdesbrief te schrijven. Ik had de ware Hilda nog niet ontmoet, maar je kunt niet vroeg genoeg beginnen met oefenen. Op de trap tikten de schoentjes van Koek. Ze liep voor de zoveelste keer naar de zolder om Grootmoeder van haar natje en droogje te voorzien.

Grootmoeder was meer een kind erbij dan een moeder. Ze was alleen van nut als mijn bal op het dak terechtkwam.

Ik was net bij het woordje lieveling, toen er met veel geraas een stuk plafond op mijn hoofd viel. Geschrokken keek ik omhoog. Door een knoeperd van een gat kon ik zo in de zolderkamer kijken. Het linkeroog van Grootmoeder staarde me aan.

'Help,' zei ze. 'Het huis stort in.'

Moeders hoeven niet alles te weten: ik legde mijn brief met de onbeschreven kant naar boven. Daarna inspecteerde ik de muren en de zoldervloer. Grootmoeder was zo'n zwaargewicht dat het plafond begon door te zakken. Als er niet snel iets gebeurde, zou mijn slaapkamer in de zolder- verdieping verdwijnen.

'Hier moet een architect aan te pas komen,' riep ik naar Grootmoeder.

Ik zocht in de Gouden Gids en belde het bouwbedrijf De Toren Van Babel. Ze zouden meteen iemand sturen.

Meneer Meetlatjes had het snel bekeken.
'Die Grootmoeder eruit en tien extra draagbalken erin.'

Grootmoeder begon hartverscheurend te huilen.

'Houd op met die treurnis,' riep meneer Meet-latjes. 'Ik kan er niet ook nog waterschade bij hebben.'

'Doe niet zo onaardig,' gromde Koek en ze duwde meneer Meetlatjes de trap af. 'Grootmoeder blijft zitten waar ze zit.'

De waterval van tranen stopte abrupt.

'Jullie moeten het zelf weten,' brulde meneer Meetlatjes toen hij het huis uit werd gedirigeerd. 'Straks ligt de villa in puin. Daar helpt geen moedertjelief meer aan!'

Draagmoeder

Elonora kwam terug van een fotosessie. Ze had iemand bij zich.

'Dit vond ik op het tuinpad,' zei ze en ze duwde een magere vrouw met uit de kluiten gewassen schouders naar voren.

'Ik las in de supermarkt dat jij een moeder zoekt,' sprak de vrouw verlegen. Ze gaf me een hand en kneusde mijn vingers. Van het schrijven van liefdesbrieven zou voorlopig niet veel meer komen.

'Hij heeft al drie moeders,' zei Koek vinnig.

'Het wordt tijd dat je die advertentie weghaalt, Sjoerd.'

De vrouw liet haar spierballen rollen. Ze hadden het formaat van een voetbal.

'Wat voor moeder bent u?' vroeg ik onder de indruk.

'Ik ben een draagmoeder,' antwoordde de vrouw.
'Ik draag kleren, oorbellen, borden en schalen, water naar de zee, hoeden, tassen en boodschappen.
Ik kan jou naar bed dragen. Ik draag alles.'

Koek keek wat milder en bood de vrouw een stoel aan.

'Draag je ook de trappen op?'

'Trap op en trap af. Lift in en lift uit. Door weer en door wind. Zowel dag als nacht,' zei Draagmoeder.

'Van mij mag ze blijven,' besloot Koek met de armen over elkaar. 'Zij kan de maaltijden voortaan naar Grootmoeder brengen.'

Elonora poederde het glim op haar neus weg.
'Maar de woonkamer blijft van mij alleen.'

Ik dacht aan meneer Meetlatjes en zijn balken.
'Kunt u ook plafonds dragen?'

Draagmoeder leverde meteen het bewijs.
Ze strekte haar armen en duwde mijn slaapkamer-plafond met Grootmoeder en al recht.

'Ze kan toch niet de hele tijd zo blijven staan?' zei Elonora.

'Dat kan ik best,' sputterde Draagmoeder tegen.
'Ik hoef alleen maar elk uur eventjes te plassen.'

'Dan kun je ook af en toe boven een schaal met eten afleveren,' vond Koek.

Ik liet de kwebbelende vrouwen alleen en ging buiten voetballen.

Moeder Taal

De postauto bracht een pak dat niet door de brieven-
bus kon.

'Het zal wel voor mij zijn,' glunderde Elonora.
'Van een bewonderaar.'

Op de doos stond:

Sjoerd 9+
Villa Koekoeksnest
Beethovenlaan 333.

'Het kan me niet schelen,' zei Elonora afgunstig.
'Ik had toch liever rode rozen.'

In het deksel waren luchtgaatjes geprikt.

'Zal ik het naar boven dragen?' riep
Draagmoeder, die net een plasje had gepleegd.

'Graag,' zei ik. Ik had geen zin in pottenkijkers.
Misschien zat er iets in dat ik niet wilde delen.
Een hondje, een nieuwe fiets of de Hilda uit mijn
dromen.

Mijn eigen kamer was niet privé genoeg.
Draagmoeder zou er zo dadelijk het plafond weer
gaan dragen. Ik liet het postpakket op de slaapkamer van mijn oude moeder zetten en wachtte tot
ik helemaal alleen was.

Voorzichtig ritste ik het deksel los en klapte het

pak open. Er zat iets in met rode haren. Het was
geen hond, want het begon meteen te praten.

'Hier ben ik dan!' Een kokette vrouw sprong uit
de doos. Ze huppelde door de kamer en kwam naast
me op het bed zitten. 'Moeder Taal, aangenaam.'

'Sjoerd, 9+,' zei ik verbouwereerd. 'Reist u altijd
per post?'

Ze knikte. 'Het is veel goedkoper dan met de
trein. Ik heb een zaklamp bij me, zodat ik onderweg
lekker kan lezen.'

Ik was een beetje teleurgesteld.

'Ik had liever een hond gekregen. Kunt u ook
blaffen?'

'Mensentaal, dierentaal. Ik spreek het allemaal.'
Ze kefte drie keer. 'Je mag me zelfs aaien.'

Ik streelde haar mantelpak, maar ze voelde niet als hond.

'U lijkt te weinig op een tekkel,' mopperde ik.

Moeder Taal werd een ietsiepietsie chagrijnig. 'Ik ben ook geen hond, maar een moeder. Op het bord in de supermarkt stond dat je een nieuwe mama zocht. Als je een hond zoekt, moet je het woord mama niet gebruiken. Dat is een verschrikkelijke taalfout!'

'Neem me niet kwalijk, hoor,' suste ik. 'Maar ik heb al vier moeders en nog geen huisdier.'

Moeder Taal haalde een boek uit de doos en sloeg het open.

'Ik kan anders prachtig voorlezen. Ik heb hier een alleraardigst verhaal over een hond.'

Mijn pijnlijke vingers waren nog niet in staat om te schrijven. Daarom gaf ik toe. 'Laat maar horen dan.'

Moeder Taal sprak met duizend verschillende stemmetjes en het verhaal klonk als een klok.

'U bent aangenomen,' zei ik toen ze klaar was. 'Ik wil elke avond een verhaaltje voor het slapengaan.'

Ze maakte een luchtsprongetje. 'Je krijgt er geen spijt van. Je kunt met mij lezen en schrijven.'

Dat bracht me op een idee.

'Hebt u verstand van liefdesbrieven?'

Ze kleurde diep tot in haar nek. Haar stem klonk meteen een toontje lager. 'Jawel. De taal der romantiek is de allerprachtigste.'

Ik haalde een schrijfblok en een pen die vier kleuren schreef.

'Voor Hilda,' sommeerde ik.

Moeder Taal boog zich over het papier en begon met veel krullen te schrijven. In tien minuutjes was ze klaar.

Mijn allerliefste Hilda,

Je mond zo zacht, de lucht zo blauw.
Ik ben op jou, zo erg op jou.
De zon schijnt als ik je zie lopen
en jij bij de slager worstjes gaat kopen.
Ik droom elke dag van je blozende wangen.
Ik zou er mijn kamer mee willen behangen.
Ik wil een slagroomtaartje met je delen.
Misschien geef ik je zelfs wel een hele.
Ik fluister duizend zoete woordjes
in je fluweelzachte oortjes.
Ik ben op jou, ben jij op mij?
Dan is het aan. Rijstebrij.

Liefs van Sjoerd, 9+

'Geweldig,' zei ik. 'Ik snap alleen niks van die rijstebrij.'

'Anders rijmt het niet,' zei moeder Taal. Ze deed de brief in een envelop. 'Waar moet hij naartoe?'

Ik dacht even na. 'Zet er maar op: Hilda, adres onbekend.'

Ik deed de brief nog dezelfde avond op de bus. Je wist maar nooit.

Moederrol

We aten in mijn slaapkamer. Dat was de enige manier om met het hele gezin tegelijk te kunnen tafelen.

Grootmoeder bleef op zolder zitten. Ze stak haar arm door het plafondgat naar beneden en nam een kippetje. Elonora knabbelde als een konijn op komkommer en radijsjes. Moeder Taal legde woordjes met de lettervermicelli uit haar soep. Draagmoeder had haar handen vol aan het plafond. Koek moest haar als een baby voeren.

'Open die garagedeur. Daar komt hij dan, broemmmmmmmmm.'

Soms deed Draagmoeder haar mond niet ver genoeg open en viel er wat op de vloer. Een kloddertje mayonaise, springerige doperwtjes, spaghettisliertjes, een lepeltje jus, een flintertje kip of een litertje vla.

'Gadsiederrie,' mopperde moeder Taal.

'Wie ruimt dat straks op? Ik heb er geen tijd voor, want ik wil nog een dertiendelige encyclopedie uitlezen.'

Elonora hing met haar zuurstokroze boa in de mayonaise op de vloer.

'Het wordt inderdaad te gek,' snerpte ze.

'Straks moet ik op de foto en ik zie er niet uit.'

'Ruim jij het dan op,' snauwde Koek, die genoeg van Elonora's aanstelleritis begon te krijgen.

'Beroemdheden hoeven nooit te werken!' gilde Elonora. 'Dat hoort niet. Ze moeten door anderen op hun wenken bediend worden. Stel je voor dat mijn dure jurk vies wordt.'

Koek liet expres een paar frietjes vallen. 'Je kunt beter wat minder bekend en wat zorgzamer zijn. Wat ben jij eigenlijk voor een moeder?'

Elonora sloeg moeder Koek met de mayonaiseboa om haar oren. 'Vastgeroeste bakpan! Jij denkt vreselijk ouderwets. De wereld is groter dan de keuken. Ik ben het voorbeeld van een moderne moeder met kind en carrière. Lees er de Viva maar op na.'

Koek gebruikte haar lepel als katapult. Ze bekogelde Elonora met Parijse aardappeltjes. 'Maar wel met je grote mond van mijn kookkunst profiteren, hè?'

Elonora klom kwaad op de tafel en stortte zich op Koek.

'Grootmoeder!' riep ik. 'Doe iets voordat er gewonden vallen!'

Grootmoeder stak haar arm door het gat en takelde Elonora aan haar lange haren naar boven.

'Au!' krijste ze.

'Net goed,' riep Koek en ze lachte vals.

'Koppen dicht!' schreeuwde ik.

Toen was het stil.

'Sjoerd,' zei Draagmoeder verlegen.

'Waarom neem je niet een hulp in de huis-houding?'

Ik telde mijn zakgeld na. Het was bij lange na niet genoeg.

'Dat kan ik niet betalen,' zei ik teleurgesteld.

Moeder Taal legde een nieuw woord van haar vermicelli: Schoonmoeder.

'Dan nemen we die toch,' zei ze.

'Een Schoonmoeder kost niks en niemendal.'

Schoonmoeder

Ik vond haar in de supermarkt bij de afdeling schoonmaakmiddelen. Ze sopte haar boodschappen af, alvorens ze in het winkelwagentje te zetten.

'Maar ik houd helemaal niet van kinderen,' zei ze.

'Dat geeft niks,' legde ik uit. 'De nadruk ligt op huishoudelijk werk. Ik kan wel op mezelf passen.'

Ze aarzelde nog, tot ik een foto van de villa liet zien.

'Zoveel kamers,' sprak ze verlangend. 'Mag ik ook het zilver poetsen?'

Ik knikte en Schoonmoeder deed meteen een greep naar de Sorbo-sponsjes.

'Wanneer kan ik beginnen?'

'Nu meteen, als u wilt,' zei ik.

Duizend-dingen-doekjes vlogen door het huis. Schoonmoeder klopte en stofte en zuigde en zeemde en nam overal de plintjes mee. Ze maakte alles spic en span. Zelfs mijn goudvis blonk als een spiegel.

'Zo'n beste keukentrap heb ik nog nooit gehad,' zei Schoonmoeder in haar nopjes tegen Groot-moeder. 'Til me maar weer op. Daar zit nog een spinnenwebje.'

Door Schoonmoeder waren de problemen voorlopig opgelost. De avondmaaltijd verliep zonder ruzie.

Moedergeluk

Ik had het razend druk met zes moeders.

Als ik 's morgens opstond, zei Draagmoeder steevast: 'Ik heb de hele nacht in mijn eentje het plafond staan ophouden. Nu wil ik een goed gesprek.'

Ik heb een ochtendhumeur. Maar Draagmoeder bivakkeerde nu eenmaal in mijn slaapkamer. Ik kon niet om haar heen. Meestal wilde ze over de zin van het leven praten.

'Kunnen we het niet over voetballen hebben?' probeerde ik dan. Als ze akkoord ging, waren we tenminste snel uitgepraat. Draagmoeder wist geen bal van penalty's, voorzetten en muurtjes.

In de vroege uurtjes werd de badkamer door Elonora bezet. Ze poedelde, föhnde, spoot luchtjes en verfde haar gezicht.

Daarom ging ik eerst ontbijten. Koek was een gouden moeder. Ze kon toveren met een eitje en liet de toast nooit ofte nimmer aanbranden. Elke nacht sliep ze als een echte keukenprinses op het aanrechtblad met de soeppan als een kroon op haar hoofd.

Zodra ik klaar was met eten, stak Schoonmoeder haar neus om het hoekje van de werkkast.
Zij overnachtte op een bedje van dweilen met de ragebol in de aanslag, want ze was bang voor inbrekers.

'Inspectie,' zei ze ook nu weer.

Ik moest naar voren komen en mijn pyjama laten zien. Als ik ook maar één druppeltje sinaasappelsap had gemorst, werd ik uitgekleed.

'Ik draai toch een wasje,' zei ze dan. 'Kan het meteen mee.'

Ik rende in mijn blootje naar boven en trommelde op de badkamerdeur.

'Ja, ja,' riep Elonora geërgerd.

Na tien minuten deed ze eindelijk de deur van het slot. Ik poepte, plaste en waste en trok mijn kleren aan. Moeder Taal kwam me al met mijn schooltas tegemoet.

'Je opstel was een verschrikking,' zei ze. 'Ik heb er alle spelfouten uit gehaald en het hier en daar een beetje aangepast. Zo word je nooit een beroemde schrijver.'

Ik sleepte de tas mee naar de voordeur.

'Ik wil geen schrijver worden, maar voetballer!' schreeuwde ik terug.

Ik liep over het gras en klom op het hek om naar Grootmoeder te zwaaien. Ze stak haar hand door het dakraam en wuifde.

'Veel plezier op school!' riep ze ietsje te hard.

Alle huizen in de straat schudden op hun grondvesten. Er kwamen flinke scheuren in de stoep. Ik moest rare bokkensprongen maken om er niet in te vallen en kwam daardoor te laat op school.

De meester was sikkeneurig. Maar toen hij mijn opstel las, draaide hij om als een blad aan de boom.

'Je hebt een uitzonderlijk talent, Sjoerd. Je krijgt een dikke tien.'

Pleun keek me bewonderend aan. Jammer genoeg leek ze geen spat op Hilda.

In de pauze kwamen de grote gemene jongens. Ik pakte net mijn lunch uit. Koek had zoete broodjes gebakken en verse worstjes gedraaid.

'Geef hier,' zei de jongen met de dikste spierballen.

Ik hield mijn trommeltje met twee handen vast.

'Draagmoeder is sterker dan jij,' waarschuwde ik.

'Moet je horen,' giechelde de pestkop. 'Hij roept om zijn mammie.'

'Haar spierballen zijn zo groot als een voetbal,' dreigde ik.

De grote jongen greep mijn trommeltje en gaf me een stomp.

'Ik heb ook een beroemde moeder,' probeerde ik nog.

De rotzakken hoorden het niet meer. Ze aten mijn lunch aan de andere kant van het plein op. Het kon me niet zoveel schelen. Ik had nog wat stoofpeertjes achter de hand gehouden en na schooltijd stond er thee klaar. Met een punt appeltaart erbij.

Om vier uur 's middags kwam Grootmoeder in beweging. Ze kroop voorzichtig naar buiten en speelde klimtoestel op het gazon. Ik schommelde in de schuitjes van haar handen, wipte op haar knie, klom over haar rug en sprong trampoline op haar buik. Voor Grootmoeder was dit het hoogtepunt van de dag. Ik kon het niet over mijn hart verkrijgen om te bekennen dat ik liever ging voetballen.

Als Elonora thuiskwam, gingen we eten. Daarna deed Schoonmoeder de vaat en hielp moeder Taal me met mijn huiswerk.

Het was jammer dat ze niet zo'n kei in rekenen was. Ze wist alleen precies hoe je de redactie-sommen moest spellen. Tot slot las ze me een verhaaltje voor en dan ging ik slapen.

Meestal werd ik nog een paar keer wakker omdat mijn moeders luidruchtig ruziemaakten.

'Als jullie niet ophouden, kunnen jullie beter gaan scheiden!' riep ik dan.

Pas als ze hun eigen stek opzochten, werd het stil in de villa en was het moedergeluk compleet.

Moederen

Toen ik op een zaterdagochtend uit mijn slaapkamer-
raam keek, zag ik bulten in de tuin.

'Dit lijkt verdacht veel op een mollenplaag,' zei
Draagmoeder.

Ik ging naar buiten om de bergjes te onder-
zoeken. Aan de meeste was weinig te zien, maar in
zandhoop nummer zestien zat leven. Iets was
daarbinnen hard aan het graven. Ik liep ernaartoe en
probeerde de rondvliegende aardkluiten te ont-
wijken.

'Hallo!' riep ik.

De zandregen stopte en er kwam een modderig
hoofd uit de hoop naar boven.

'U bent geen mol,' stelde ik vast.

De vrouw klom uit de grond en spuugde. 'Ben jij
Sjoerd?'

Ik knikte en ze gaf me een hand met groene
vingers.

'Ik heb me suf gezocht naar je voordeur.
Veertig gangen heb ik gegraven, maar ik kwam
telkens verkeerd uit. Dat heb je met zo'n grote tuin.
Ik ben blij dat je naar me toe gekomen bent, anders
was ik nu nog bezig.' Ze droeg een smerige
tuinbroek en had rouwrandjes onder haar nagels.

'Waarom hebt u niet gewoon boven de grond naar

de voordeur gezocht? Dan is hij gemakkelijk te vinden,' zei ik geprikkeld. 'De hele tuin is verknald.'

Ze ging vermoeid op hoopje zestien zitten. 'Het spijt me. Ik durfde niet. Als ik zenuwachtig ben, steek ik liever mijn kop in het zand.'

'Wat komt u doen?' vroeg ik.

'Moederen,' antwoordde ze. 'Ik ging naar de supermarkt voor een zakje potgrond en zag je advertentie hangen.'

Ik zette een verlept afrikaantje recht. 'U bent te laat. Ik heb al zes moeders en dat is genoeg.'

Haar ingebouwde sproei-installatie begon meteen te werken. Een regen van tranen spoot in een boog op het gras en op de doorboorde bloemperken. Het afrikaantje stak onmiddellijk zijn kopje weer op. De stralen werden hoe langer hoe dikker. Het water kwam tot over het dak.

'Ik wil zo graag een zoon,' snikte ze. 'Mijn naam is moeder Aarde. Zo'n naam slaat nergens op, als je geen kind hebt.'

Grootmoeder stak haar hoofd uit het dakraam. 'Wat gek. Er staat geen wolkje aan de lucht en toch regent het binnen.' Toen zag ze de tuinvrouw zitten en foeterde: 'Houd op met dat gejank. Mijn haar wordt nat.'

De grond trilde. Moeder Aarde sprong geschrokken in de zandhoop en verstopte haar gezicht.

'Wat een bang konijn, zeg,' gromde Grootmoeder
en dat veroorzaakte opnieuw een aardbeving.

'Ze wil mijn moeder worden,' legde ik uit.

'Ik vind het best,' fluisterde Grootmoeder nu
voorzichtig. 'Als ze maar ophoudt met dat gebrul
voordat de hele tuin in een vijver verandert.'

Ik trok moeder Aarde aan haar rubberlaarzen uit
de klei.

'U moet niet meer huilen. Misschien mag u
blijven. Maar ik moet het wel even aan mijn moeders
vragen.'

Moeder Aarde

'Mag moeder Aarde blijven of moet ze weg?' vroeg ik.

Het hele gezin zat op het stoepje bij de voordeur. Alleen Grootmoeder lag in de tuin en drukte de meeste zandhoopjes weer netjes plat.

'Ik ben voor,' riep moeder Aarde met haar groene vinger in de lucht.

'Wat jij vindt, is onbelangrijk,' sneerde Elonora. 'Zolang jij Sjoerds moeder nog niet bent, heb je geen stemrecht.'

Schoonmoeder keek met een afkeurend gezicht naar moeder Aarde. 'Je stinkt naar mest,' zei ze met een dichtgeknepen neus. 'Je mag best moeder worden, maar je komt het huis niet in. Je bent veel te smerig.'

Moeder Aarde keek sip. Tot Draagmoeder naar het tuinhuis wees.

'Ze kan daar wonen. Als we de kruiwagen voortaan onder het afdak zetten, is er plaats genoeg.'

Moeder Aarde glunderde. 'Wat een mooi huisje is dat.'

Schoonmoeder zeemde een stoeptegel en zuchtte: 'Oké, dan stem ik voor.'

Moeder Koek deelde plakjes cake uit en ranja met een rietje.

'Heb je verstand van moestuinen?' vroeg ze aan moeder Aarde. 'Ik moet altijd naar de markt om verse sperzieboontjes en aardappelen te kopen.
Als jij hier in de tuin groente kunt verbouwen, hoeft dat niet meer.'

Moeder Aarde knikte hoopvol. 'Aspergebedden, bloemkolen, andijvie en rode bietjes. Laat dat maar aan mij over.'

'Dan heb ik graag dat je blijft,' zei Koek.

Elonora speelde met haar parelketting. 'Ik ben tegen. Ik wil geen modderig mens in mijn buurt. Straks staat ze per ongeluk met mij op een foto. Dat is geen gezicht.'

Draagmoeder gaf Elonora een zetje. 'Doe niet zo misselijk,' zei ze. 'Van mij mag moeder Aarde blijven. Zij kan zorg voor de tuin dragen. Ik draag het plafond al. En nu moet ik weer snel naar binnen, voordat de boel inzakt.'

Zodra ze weg was, begon moeder Taal te dubben. 'Ik weet het nog niet. Ik wil je eerst wat beter leren kennen. Lees je graag?'

Moeder Aarde haalde een plantengids uit haar broekzak. 'Die ken ik helemaal van buiten. Ik ben dol op tuinboeken.'

Moeder Taal haalde haar neus op. 'Dat stelt niks voor. Ik heb het over taal op een hoger niveau. Wat weet je bijvoorbeeld van verzen?'

Moeder Aarde stak haar armen in de lucht en riep

jolig: 'Ik kan rijmen en dichten zonder mijn hemd
op te lichten.'

Moeder Taal werd ongeduldig. 'Ik wil een echt
gedicht horen. Met passie en drama en veel gevoel.
Anders stem ik tegen.'

Moeder Aarde beet op haar vieze nagels. Dit ging
de verkeerde kant op. Straks zou ze nog terug
moeten naar de bloemist, waar ze al jaren werkte.
Stomme boeketjes maken met kaartjes eraan,
waarop de klanten *Voor de allerliefste moeder* of *Het
spijt me* lieten zetten. Laatst kwam er zelfs een
verliefde jongeman, die een heel gedicht had
geschreven. Ze had het met een paarse strik aan een
bos rozen geknoopt.

Bij die herinnering begon moeder Aarde te
stralen. Dat gedicht kwam nu goed van pas.

Ze kende het zo ongeveer uit haar hoofd. Met weidse gebaren droeg ze voor: 'Rozen blozen voor het leven. Als ik bloos, bloos ik maar even. Zoals toen jij me die rozen hebt gegeven.'

Moeder Taal drukte moeder Aarde aan haar borst. 'Je bent een geboren dichteres. Ik hoop dat je blijft,' fluisterde ze ontroerd.

'Vijf moeders voor, eentje tegen. De meeste stemmen gelden,' zei Grootmoeder. 'Je hebt er weer een moeder bij, Sjoerd.'

Moeder Aarde maakte een rondedansje op het gras en riep driemaal hoera.

Nou moe!

Toen ik de voordeur opendeed, kwam de geur van
frambozen me tegemoet. Op de mat lag een
vierkante envelop. Met trillende handen draaide ik
hem om. Ik moest drie keer lezen, voordat ik het
geloofde. *Afzender Hilda, adres onbekend.*

Ik zocht een rustig plekje voor mij alleen.
Op mijn slaapkamer stond Draagmoeder het
plafond op te houden. In de keuken raakte Koek aan
de kook. Op de logeerkamer las moeder Taal de
sprookjes van Moeder de Gans. Elonora knipte haar
teennagels in de woonkamer. Schoonmoeder sopte
de badkamertegeltjes. In de tuin roeide moeder
Aarde onkruid uit. Grootmoeder wachtte op zolder

ongeduldig op mijn thuiskomst. Alleen het kleinste kamertje was veilig. Ik deed de klep van de wc-bril omlaag en ging erop zitten. De deur deed ik op slot.

Voorzichtig scheurde ik de envelop open. Een dun velletje papier met groene letters viel op mijn schoot.

Lieve Sjoerd,

Jouw brief was allemachtig prachtig. Ik ben dol op slagroomtaartjes. Vanavond wil mijn vader worstjes eten. Ik ga straks naar de slager om ze te kopen. Zie ik je dan? Als je komt, wil ik misschien je vriendinnetje wel zijn.

Hilda

Van opwinding wiebelde ik zo hard dat ik bijna van de pot tuimelde.

'Ik ga naar de slager,' zei ik even later tegen Koek. 'Zal ik worstjes meebrengen?'

Koek veegde haar handen af aan haar schort. 'Jij gaat helemaal niet naar de slager,' zei ze. 'We eten vanavond geen vlees, maar vis.'

Voordat ik tegen kon sputteren, fluisterde Grootmoeder naar beneden: 'Sjoerd, ben je daar eindelijk? Waar bleef je nou toch? Het is allang tijd voor ons halfuurtje.'

Ik hoorde haar de trap afstommelen.

'Ga maar weer naar boven, Grootmoeder.

We slaan het vandaag een keertje over,' riep ik.

'Wat!' gilde Grootmoeder en de pannen in de keuken rinkelden. Een pollepel viel van de haak.

'Ik heb geen tijd, ik moet naar de slager,' legde ik uit.

'Hij liegt,' bemoeide Koek zich ermee. 'Van mij hoeft hij niet.'

'Je hebt zeker geen zin,' mopperde Grootmoeder. 'Je wilt me zomaar in de steek laten. Wat ben jij voor een zoon!'

Kalk kwam van de muren. Lampen zwiepten heen en weer. De villa kreunde en steunde als een oude dame.

'Het is maar voor één keer,' probeerde ik Grootmoeder te sussen.

'Ik wil buiten spelen. Nu!' krijste Grootmoeder en alles in huis viel om.

Ze stampte met haar voeten en Draagmoeder gilde angstig: 'Ik houd het niet meer. De boel stort in!'

Er zat niks anders op. Ik moest de dreinende Grootmoeder tot bedaren brengen voordat de villa als een pudding in elkaar zou zakken.

'Goed,' schreeuwde ik. 'Ik kom al.'

Kwaad liep ik achter Grootmoeder aan en klom vlug op haar rug. Hoe sneller dit verplichte half-uurtje om was, hoe eerder ik naar de slager kon.

Om kwart voor vijf stond ik eindelijk klaar, met de boodschappentas in mijn hand. Moeder Taal kwam de trap af.

'Waar gaat dat naartoe?' vroeg ze. 'Je moet nog ontleden en een boekenpraatje voorbereiden. Je kunt nu niet weg.'

'Het moet,' zei ik met het angstzweet op mijn voorhoofd.

Toen begon ik naar de voordeur te rennen.
Tot mijn grote verdriet kwam Elonora net binnen.

'Houd hem tegen,' zei moeder Taal. 'Hij probeert onder zijn huiswerk uit te komen.'

Elonora deed de knip op de deur. 'Luister naar je moeder, Sjoerd,' zei ze. 'Anders word je nooit beroemd. Zelfs ik ging vroeger naar de moeder-mavo.'

De bazige vrouwen stuurden me naar boven.
Ik raffelde mijn lesjes zo snel mogelijk af. Om tien voor zes was ik klaar. Als ik op mijn allerhardst naar de slager holde, was ik er nog voor sluitingstijd.

Koek en Schoonmoeder grepen me onder aan de trap bij mijn armen.

'Het eten is klaar,' zei Koek.

'Eerst je handen wassen,' zei Schoonmoeder.

'Ik hoef niet te eten,' gromde ik.

'Nou moe!' foeterde Koek. 'Heb ik me daarvoor uitgesloofd? Dan ga je maar zonder eten naar bed.'

'En wel nu meteen,' zei Schoonmoeder. Ze begon

aan mijn kleren te plukken. 'Dan kan die spijkerbroek nog mooi bij de avondwas.'

Ik kon niet in mijn onderbroek bij Hilda
aankomen. Treurig kroop ik in bed en trok de
dekens over mijn oren. Met zeven bemoeizuchtige
moeders kwam er nooit iets van mijn liefdesleven
terecht.

Stiefmoeder

De volgende dag zweeg ik in alle talen.
Koek probeerde me op te vrolijken met appelmoes en kippenpootjes. Schoonmoeder streek mijn gewassen spijkerbroek extra glad. Elonora schonk me een foto van haarzelf in een gouden lijstje. Grootmoeder haalde zonder mopperen mijn bal vijftien keer van het dak.

Ik gaf geen sjoege. Wat mij betrof, konden ze allemaal de boom in.

Voordat ik ging slapen, deed moeder Taal een allerlaatste lijmpoging.

'Kom op, zeg nou iets. Je kunt toch niet voor altijd boos blijven?'

Ik stak mijn tong naar haar uit en ze zuchtte.

'Ik zal je een sprookje vertellen over een stiefmoeder.'

Alsof ik daar vrolijker van zou worden.

'Er was eens een jongen,' begon moeder Taal, 'die zijn moeder verloor. Misschien was hij haar bij de bushalte vergeten of had hij haar in de klas laten liggen. Hij kon het zich niet herinneren. Hij zocht overal, maar hij vond haar niet terug. De arme jongen had een nieuwe moeder nodig. Daarom zette hij een advertentie in de krant: *Nieuwe moeder gezocht.* Er kwam maar één reactie op, van een stiefmoeder die al twee zonen had. Zijn nieuwe broers zagen er knap en gespierd uit, maar het waren gemene ettertjes. Ze pikten eerst alle spijkerbroeken van de jongen in. Daarna zijn speelgoed, zijn computer en de kleurentelevisie op zijn kamer. De arme jongen kreeg een lelijk trainingspak met gaten aan en werd naar de keuken gestuurd.

'Als je bij ons wilt wonen, moet je ervoor werken,' zei zijn nieuwbakken familie. De jongen poetste en schrobde van 's morgens vroeg tot 's avonds laat. Hij begon er vies en stoffig uit te zien.
Daarom noemden zijn broers hem Vuilak.

Op een dag kreeg het gezin een uitnodiging voor een groot feest. Stiefmoeder en haar echte zonen trokken hun mooiste kleren aan.

'Jij kunt niet mee,' zeiden ze tegen Vuilak.
'Jij bent veel te smerig.'

Toen ze die avond zonder Vuilak vertrokken, voelde hij zich vreselijk zielig.

Maar dat duurde niet lang. Het werd plotseling licht in de kamer en voor hem stond een lieve fee.

'Je moet niet verdrietig zijn,' zei ze. 'Ik zorg ervoor dat jij vanavond naar het feest kunt.'

Ze toverde Vuilak in een ommezien schoon en in hagelnieuwe kleren. Ze goochelde er ook nog een racefiets bij, waar Vuilak meteen op wegreed.

'Pas op!' riep de fee nog gauw. 'Je moet voor

twaalf uur thuis zijn. Dan is de betovering verbroken.'

Vuilak racete naar het feestadres. Hij parkeerde zijn stalen ros tegen de gevel en ging naar binnen. Alle mensen keken op. Zo'n leuke jongen hadden ze nog nooit gezien. Ook zijn stiefbroers staarden jaloers naar hem, zonder Vuilak te herkennen.

Het mooiste meisje van allemaal kwam naar hem toe.

'Dag,' zei ze. 'Ik heet Hillegonda en ik ben blij dat jij er bent.'

Vuilak en Hillegonda dansten samen en dronken cola tot de klok twaalf uur begon te slaan.

Vuilak blies halsoverkop de aftocht. Hij pakte zijn fiets en wilde zo snel opstappen, dat zijn gymp achter de trapper bleef haken. De schoen gleed van zijn voet en viel op de grond. Vuilak had geen tijd

om hem op te rapen en reed pijlsnel naar huis. Het laatste stuk moest hij lopen, want zijn fiets verdween als sneeuw voor de zon. Zijn mooie kleren werden weer trainingspak en Vuilak zag er weer even vies uit als altijd.

Hillegonda snapte er niks van. Ze was achter Vuilak aan gehold en vond alleen zijn gymp nog, die lekker naar drop rook. Ze hield de gymp vast alsof het een knuffelbeest was en nam hem mee.

De volgende dag ging Hillegonda alle huizen in de buurt af. Iedere bewoner moest de gymschoen passen. Toen ze bij de stiefmoeder aanbelde, kwamen de gemene zonen op hun sokken aanzetten. Ze probeerden tevergeefs hun dikke voeten in de schoen te krijgen. Op dat moment kwam Vuilak binnen.

'Ga weg,' foeterde stiefmoeder.

'Nee, hij moet ook nog passen,' zei Hillegonda en ze hield de gymp klaar.

'Hij heeft een gat in zijn kous,' waarschuwde stiefmoeder.

Het kon Hillegonda niks schelen. Ze schoof Vuilaks voet in de schoen en die paste precies.

Vuilak en Hillegonda liepen hand in hand weg en ze leefden nog lang en gelukkig.'

Ik zuchtte. 'Die Vuilak boft nog. Ik heb zeven boze stiefmoeders die mij het leven zuur maken.'

Bommoeder

Op woensdagmiddag vroeg Koek of ik worstjes voor haar wilde gaan kopen.

'Ik kan het ook zelf doen,' zei ze zoetsappig.

'Maar volgens mij ben jij gekker op de slager dan ik.'

Mijn boze bui was meteen over. Misschien zou ik Hilda zien! Gewapend met een boodschappentas slenterde ik naar de slagerij. Onderweg keek ik uit naar klokrokjes en kinnen met kuiltjes, toen ik Pleun tegenkwam.

'Dag!' riep ze en tot mijn grote schrik stak ze de straat over. Ik verstopte me gauw in de bosjes en botste op iets.

'Au,' klonk het gedempt.

'Sssst!' siste ik.

Pleun staarde verwonderd naar de lege stoep en stak weer over. Zodra ze uit het gezicht was, onderzocht ik de pratende struik. Ik moest drie keer kijken, voordat ik twee glinsterende ogen ontdekte.

'Bent u een bosjesvrouw?' vroeg ik nieuwsgierig.

'Nee, een bommoeder,' fluisterde ze terug. 'Ik ben ontsnapt uit het leger. Ze mogen me niet vinden, anders hang ik.'

Ze droeg een pak van bruine stof met groene blaadjes. Haar gezicht zat vol zwarte vegen en op

haar hoofd wiebelde een helm met takken. Het was geen wonder dat ze nauwelijks opviel in het struik-gewas.

'Ik moet verder,' zei ik. 'Ik ga worstjes kopen.'
Ze gaf me een vette knipoog en fluisterde:

'Operatie geheim. Ik zwijg als het graf. Niemand zal uit mijn mond over worstjes horen.'

Ik vond Bommoeder maar een rare troel.
Opgelucht liep ik alleen naar de slager.

Het was druk in de winkel, maar Hilda was er niet bij.

'Hebt u een meisje met een klokrokje en lange benen gezien?' vroeg ik aan het hulpje achter de kassa.

'Nee, vandaag niet,' zei hij. 'Dat is dan zeven gulden tien.'

Ik betaalde en kreeg een stukje leverworst. Kauwend verliet ik de winkel.

Pas op het Alexanderplein kreeg ik iets in de gaten. Ik voelde een paar ogen in mijn rug prikken. Toen ik me omdraaide, was er niets bijzonders te zien, maar ik wist zeker dat ik achtervolgd werd. Misschien was het Pleun. Of nog erger: een groepje grote gemene jongens. Steeds sneller stapte ik over de stoep. De tas bonkte tegen mijn benen.
Bewoog daar niet iets?

In de kale Koolmeesstraat begon ik aan alles te twijfelen. Had dat boompje daar altijd al gestaan of probeerde iemand mij een loer te draaien?

Het laatste stuk rende ik. Tot in de tuin van het Koekoeksnest. Moeder Aarde ving me op in haar kruiwagen.

'Wat is er, Sjoerd?'

'Ik word achternagezeten door iets engs,' hijgde ik.

Moeder Aarde keek op en zag boven de heg een groepje wandelende takken oprukken.

'Mijn kleine zusje?' zei ze vertederd.

Heel voorzichtig verscheen het hoofd van Bommoeder. 'Grote zus?' vroeg ze ongelovig.

Moeder Aarde liet de kruiwagen los en holde naar de heg. Bommoeder strekte haar armen uit en liep dwars door de ligusterhaag heen. Ze knuffelden elkaar als een stel teddyberen.

'Dit is mijn zus,' zei moeder Aarde. 'Ik heb haar in geen eeuwigheid gezien.'

'Dit is mijn zus,' echode Bommoeder. 'Ik was haar uit het oog verloren.'

'Zat u me op de hielen?' vroeg ik.

Bommoeder knikte schuldbewust. 'Ik zocht een veilig plekje voor de nacht. Je zag me niet, hè? Mijn schutkleuren werken voortreffelijk.'

'Mag ze blijven?' vroeg moeder Aarde. 'Ze hoort bij de familie.'

Ik was niet zo blij met weer een moeder erbij.

'Ik wil niet terug in militaire dienst. Presenteer geweer is niks voor mij. Ik kan nog geen vogeltje neerschieten zonder te huilen,' ratelde Bommoeder. 'In deze tuin zijn verstopplekjes genoeg. Ze vinden me nooit en ik ben een prima waakhond.'

Dat trok me over de streep. Ik zou eindelijk een soort huisdier hebben. 'Vertel het niet aan de andere moeders,' waarschuwde ik. 'Vooral Elonora zal stennis maken.'

Het dakraam ging open. 'Wie is daar?' fluisterde Grootmoeder.

'Niemand!' riep ik terug. 'Alleen moeder Aarde en ik.'

Bommoeder was al niet meer te zien. Ze lag met opgetrokken knieën in de rododendrons.

Moes

Op maandag waren de grote jongens het gemeenst.
Zeker omdat ze dan twee dagen niet hadden kunnen
pesten. Op zaterdag waren ze bezig met grasmaaien
of auto's wassen voor een rijksdaalder per uur. En op
zondag moesten ze verplicht bij hun opa of oma op
visite.

Het was weer zover. De jongen met de dikste
spierballen wreef in zijn handen en zei: 'We gaan
Sjoerdje vandaag lekker treiteren.'

Ze gooiden mijn rekenschrift in de wc. In het
speelkwartier smeten ze keiharde ballen naar mijn
hoofd. Tijdens de gymles ontvoerden ze mijn
spijkerbroek uit de kleedkamer en hingen hem
buiten aan een tak. Ik moest in mijn Ajax-slip het
schoolplein op om mijn broek uit de boom te
vissen. Ze pikten mijn broodjes met tonijnsalade en
dreigden me na schooltijd van kant te maken.

Zodra de zoemer ging, spurtte ik naar huis.
Grote gemene jongens zijn meestal liever lui dan
moe. Maar niet op deze maandag.

Ze holden met zijn achten achter me aan op veel
langere benen dan die van mij.

'We slaan je tot moes!' riepen ze vals.

Gelukkig kwamen we Elonora tegen.

'Daar is mijn beroemde moeder,' piepte ik.

'Dat zal wel,' grinnikten de jongens, maar ze bleven toch staan om haar te bekijken.

Elonora deelde handtekeningen uit. Dat nam nogal wat tijd in beslag en ik kreeg een flinke voorsprong. Eer ze weer achter me aan zaten, was ik al bijna thuis.

Ik vluchtte de tuin in en riep: 'De grote gemene jongens willen me grijpen!'

Bommoeder ging meteen onder de heg liggen en blafte als een woeste hond. Moeder Aarde begon valkuilen te graven. Ik rende naar de voordeur en drukte hard op de bel. Zeven jongens kwamen met opgestoken vuisten het gazon op. Nummer acht bleef op straat staan.

'Ik ga niet voorbij die hond,' riep hij naar de rest. 'Ik ben al eens gebeten door een rottweiler. Wie wil mijn litteken zien?'

Alleen de zevende jongen keek rond om de hond te ontdekken. Zo stapte hij in een valkuil en gleed naar beneden. Moeder Aarde ging aan de rand van het gat staan en dreigde met een schop.

'Verroer je niet, jochie. Anders krijg je een dreun.'

Zes jongens naderden de voordeur. Koek deed net op tijd open en ik glipte naar binnen.

'Ze willen me pakken,' zei ik.

Koek duwde me de woonkamer in. Ze haalde een fles olijfolie uit haar schortzak en goot hem leeg in de gang. De grote gemene jongens holden naar binnen en gleden uit op de spekgladde vloer. Nummer zes bezeerde zijn stuitje en bleef kreunend liggen. De vijf anderen bereikten de woonkamer, toen ik op de derde traptrede stond. Ik moest maken dat ik wegkwam.

Bijna liep ik Schoonmoeder ondersteboven. Ze droeg een emmer water en een stok met een dweil. Ik kon nog net langs haar heen, maar de rest niet.

'Ga buiten spelen,' mopperde ze. 'Ik heb de slaap-kamervloeren net gedweild. Ze moeten eerst drogen.'

Maar de grote gemene jongens lieten zich niet wegsturen.

'Opzij,' commandeerde de voorste. 'We gaan Sjoerd tot moes slaan.'

'Waarom?' vroeg Schoonmoeder.

'Zomaar,' zei de grote jongen. 'Daarom,' giechelde zijn pesterige vriend.

Schoonmoeder was niet dol op kinderen. Ze pakte de emmer en keerde hem om. Boven de pestkoppen. 'Daarom is geen reden,' riep ze.

De jongens hadden nu iets van verzopen katten. Vijf paar ogen keken Schoonmoeder bloeddorstig aan.

Ze hield voor de zekerheid de stok met de dweil stevig vast. 'En als je van de trap afvalt, dan ben je snel beneden,' vervolgde ze.

Ze begon de jongens met de stok te bewerken.
Toen er eentje te veel tegenstribbelde, sabelde ze
hem neer.

Vier grote gemene jongens wrongen zich langs
haar heen. Nummer vijf maakte zich met een buil
op zijn hoofd uit de voeten.

Mammie!

Ik hing inmiddels aan Draagmoeders rokken.

'Laat dat plafond nou maar zitten. U moet die pestkoppen pakken. Ze komen naar boven om me te vermoorden!' krijste ik.

De deur van mijn slaapkamer ging open en vier gemene jongens kwamen binnen.

'Kijk nou toch,' grinnikte er eentje. 'Hij zoekt hulp bij zijn mammie.'

Ze omsingelden Draagmoeder en mij.
Het kringetje werd kleiner en kleiner. Voor mijn ogen dansten zwarte vlekken. Mijn handen zwommen in het zweet.

'Grootmoeder, doe iets,' riep ik wanhopig naar boven.

Alles gebeurde heel snel. Uit het gat in het plafond kwam een arm, die een grote jongen optilde.
In Grootmoeders vingers leek hij eerder op Klein Duimpje. Draagmoeder liet het plafond een paar seconden los en maaide wild met haar armen.
De grote gemene jongens doken weg. Ze moesten zich in onmogelijke bochten draaien om rake klappen te voorkomen. Van al dat gebuk werden ze duizelig en tenslotte zakten ze als een stel slapjanussen in elkaar.

'Help, ik zit hier bij een reus!' schreeuwde de knul op zolder.

Grootmoeder snoerde hem met haar pink de mond. De grote gemene jongens hadden niks meer te vertellen.

Moederplicht

Moeder Taal kwam een kijkje nemen. Ze wees naar de zoutzakken op de grond. 'Wie zijn dat? Zijn ze niet goed geworden of zo?' Ze porde in hun dijen, maar de jongens gaven niet mee.

'Het is hun eigen schuld,' zei ik. 'Altijd zitten ze me op school te pesten. Ze kwamen me achterna om me in elkaar te slaan. Grootmoeder en Draagmoeder hebben me gered.'

Moeder Taal schudde verontwaardigd haar hoofd. 'Die jeugd van tegenwoordig doet maar raak. Het is een grof schandaal. Ik zal de heren een lesje leren.'

Ze liet Draagmoeder de drie grote gemene jongens naar haar kamer brengen. Algauw lagen ze in een rijtje op het bed van mijn oude moeder.

Ook de andere treiterkoppen werden naar moeder Taal gebracht.

Grootmoeder verhuisde de brulaap op zolder. Koek zeulde de jongen met het zere stuitje op haar rug naar boven. Moeder Aarde sleurde de jongen uit de valkuil en stuurde hem naar binnen.
Alleen nummer acht en nummer vijf waren ontsnapt.

We zochten van alles om de grote gemene jongens mee vast te binden. Elonora offerde een van haar parelkettingen op. Schoonmoeder bracht doeken en Grootmoeder haar schoenveters. Koek had nog koude spaghettislierten in de koelkast staan en ik vond een oud springtouw in mijn speelgoedkist. We knoopten de armen en benen van de pestkoppen aan elkaar. Toen de jongens op het bed weer bij hun positieven kwamen, kon moeder Taal met de les beginnen.

Ze tikte met een liniaal op de kaptafel.

'Let goed op,' zei ze. 'Het is verboden om kinderen te treiteren. Zeker als ze Sjoerd heten. Het is mijn moederplicht hem te beschermen. Ik reken erop dat jullie dat voortaan ook doen. Zeg mij na: Ik zweer dat ik Sjoerd nooit meer zal pesten.'

De jongen met de dikste spierballen kneep zijn mond tot een streep.

'Moet ik Draagmoeder en Grootmoeder roepen?' dreigde moeder Taal.

Dat hielp.

'Ik zweer dat ik Sjoerd nooit meer zal pesten,' zeiden de grote gemene jongens in koor.

'Zijn we nu klaar?' mopperde de middelste knul op het bed.

'Wis en waarachtig niet,' gromde moeder Taal. 'Jullie krijgen een opdracht. Schrijf een opstel over zinloos geweld. Pas als er geen spelfouten in zitten, kunnen jullie gaan.'

De grote gemene jongens zuchtten.

'Minstens vier kantjes,' sommeerde moeder Taal en ze deelde pennen en papier uit.

Kermend begonnen de grote gemene jongens te schrijven. Met hun vastgebonden armen schoot het niet hard op.

Ik zat stil in een hoekje en lachte in mijn vuistje.

Moedersmoeder

Vanaf die dag werd ik niet meer gepest. In elk geval niet door de grote gemene jongens. Door mijn moeders af en toe nog wel. Door Koek bijvoorbeeld, als ik mijn spruiten niet op wilde eten. Dan kreeg ik voor straf geen toetje.

Van moeder Aarde en Bommoeder had ik het minste last. Tot ze een oud vrouwtje in een rolstoel het tuinpad op reden.

'Dit is onze moeder,' riepen ze enthousiast. 'We hebben haar opgehaald uit het verzorgingstehuis. Ze zat daar in een kamertje weg te kwijnen. We konden het niet meer aanzien.'

Het oude besje rochelde en spuwde in een papieren zakdoekje.

'Komt ze op bezoek?' vroeg ik hoopvol.

'Nee, ze komt hier wonen,' zei Bommoeder. 'Niemand kan beter voor haar zorgen dan wij en in de villa is plaats genoeg.'

'We kunnen haar niet meer terugbrengen,' legde moeder Aarde uit. 'Ze heeft de verpleegsters uitgescholden en expres in haar broek geplast, toen ze te lang voor de wc moest wachten.'

Ik was niet blij met deze nieuwe aanwinst. 'Ze is veel te oud om mijn moeder te zijn,' protesteerde ik. 'Ze lijkt meer op een oma.'

'Het is een Moedersmoeder,' zei moeder Aarde. 'Die zijn altijd aan de bejaarde kant.'

Ik ging midden op het pad staan om het drietal te stoppen. Maar ze waren vastbesloten en ik werd bijna door de rolstoel overreden.

'Ik moet het aan de andere moeders vragen,' zei ik.

'Welnee, het kan best. De logeerkamer is nog over,' besliste moeder Aarde.

Bij de voordeur verstopte Bommoeder zich achter de vlierbes. Moeder Aarde riep Draagmoeder om Moedersmoeder naar boven te brengen. Alle moeders kwamen op het lawaai af.

'Jullie wilden toch geen nieuwe moeders meer?' vroeg ik nijdig.

'Dit is geen nieuwe moeder,' grijnsde Elonora. 'Dit is een hele ouwe.'

'Voor oudere mensen moet je respect hebben, Sjoerd,' sprak Koek en de anderen knikten instemmend.

Ik praatte tegen dovemansoren.

Moedersmoeder werd op bed gelegd. Ze stopten haar gebit in een glaasje water. Vanaf het nachtkastje lachten de tanden me toe.

'Sjoerd,' mompelde Moedersmoeder met ingevallen wangen. 'Het is hier veel fijner dan in huize Avondrood.' Ze greep me met haar klauwtjes van handen en trok me naar zich toe. Van zo dichtbij leek ze op een verschrompeld aardappeltje met honderdduizend rimpels. 'Ik heb nog nooit een kleinzoon gehad,' zei ze geroerd. 'Geef mijn handtas eens aan.'

Ik viste het ding uit de rolstoel.

Moedersmoeder toverde er een rol drop uit te voorschijn. 'Hier,' zei ze. 'Eet maar lekker op.' Daarna pakte ze haar portemonnee en gaf me een rijksdaalder. 'Koop er wat leuks voor,' zei ze tevreden.

Ik begon deze nieuwe moeder erg gezellig te vinden.

'Zo gaat dat met moedersmoeders,' zei moeder Aarde. 'Die verwennen hun kleinkinderen alsof het prinsjes zijn.'

Daar had ik geen bezwaar tegen. 'Goed, ook van mij mag u blijven,' zei ik.

Moedersmoeder grijnsde haar kale tandvlees bloot.

Overblijfmoeder

Voor negen moeders was het huis soms te klein.
'Vanmiddag ga je eerst dat bord uit de super-markt weghalen,' zei Koek.
Elonora knikte. 'We zijn met meer dan genoeg.'

Na schooltijd ging ik naar de winkel om de advertentie te verwijderen. Met het bord onder mijn arm liep ik door de vogeltjesbuurt. Op de hoek van de Roodborstjesweg en de Reigerstraat zat een vrouw op een koffer.
'Zit u op de bus te wachten?' vroeg ik. 'De halte is aan de overkant, hoor.'
Een dikke traan rolde over haar wang. 'Ik hoef niet met de bus mee,' zei ze. 'Ik zou niet weten waar naartoe.'
Ik gaf haar mijn zakdoek. 'U zou naar zee kunnen gaan. Pretparken zijn ook leuk. Of anders gaat u gewoon naar huis.'
Blijkbaar zei ik iets verkeerds, want ze begon keihard te huilen.
'Ik kan niet naar huis. Ik heb geen thuis meer.'
Ik legde het bord op de grond en ging erop zitten. 'Waarom niet? Is uw huis in de fik gevlogen of zo?'
Ze schudde haar hoofd en sloeg boos op haar koffer. 'Mijn man is verliefd geworden op een

andere vrouw. Ze wilden samenwonen, dus Marie-belle trok bij ons in. Nu is ze de nieuwe moeder van mijn kinderen. Ze hebben mij niet meer nodig. Ik blijf helemaal alleen over.' Haar schouders schokten en ik was bang dat ze zou sterven van verdriet.

Ik legde mijn armen om haar heen en drukte haar roodbehuilde ogen tegen mijn shirt. 'Ik heb negen moeders. Maar een Overblijfmoeder heb ik nog niet.'

Ze tilde haar hoofd op en gluurde door haar lange haren. Haar blik had het aandoenlijke van een jonge hond. Ik aaide haar voorzichtig. Ze voelde als de vacht van een tekkel.

'Bedoel je...' vroeg ze onzeker.

'U mag met mij mee naar huis,' zei ik. 'De villa zit vol, maar ik kan een hondenhok voor u timmeren. Dat ben ik al zo lang van plan.'

Ze duwde haar koude neus tegen mijn wang. 'Je bent een schat.'

Ik hielp haar overeind en nam haar koffer. Ik droeg hem de hele weg naar huis.

Overblijfmoeder danste om me heen. Het was haast of ze kwispelde van plezier.

Moederdier

Nog dezelfde middag timmerde ik een hondenhok.
Er kwam een raampje in met echte gordijntjes en
een vensterbank. Moeder Aarde plantte een
geranium in een pot en gaf hem aan Overblijfmoeder.

'Voor je nieuwe huis,' zei ze plechtig.

Het hondenhok leek inderdaad meer op een
huisje dan een hok, maar Overblijfmoeder was ook
meer moeder dan dier. Toch deed ze haar best.
Ze at uit een etensbak met Bello erop en rollebolde
regelmatig in het gras. Ik liet haar drie keer per dag
uit. Ze was een brave hond. Het was onnodig haar
aan de riem te leggen.

'Ik loop niet weg,' beloofde ze. 'Ik wil nooit meer
alleen overblijven.'

De andere moeders maakten bezwaren.

'Het is Overblijfmoeder of een echte hond,' eiste
ik.

'Goed. Als er nu maar niemand meer bij komt,'
vond Elonora.

Dat moest zij nodig zeggen. Om vier uur sloop
een vervelende fotograaf het huis in en hij verstopte
zich achter het bankstel. Koek struikelde met een
volle theepot over zijn rondslingerend statief.
Draagmoeder moest het plafond in de steek laten

om de lastpak naar buiten te dragen.

Moeder Aarde nam meteen maatregelen.
Ze maakte borden op paaltjes en schilderde er in
vuurrode letters VERBODEN VOOR PERSMUSKIETEN op.
Ze stak de waarschuwingsborden in het gazon en
hing ze bij de poort.

'Wat een goed idee van u,' zei ik bewonderend.

Koek kon het niet hebben. 'Wat vind je van mijn
kruimelvlaai?' vroeg ze. 'Ben ik niet de beste moeder
die er is?'

Elonora lachte vals. 'Als jij echt zo geweldig was,
zou je net als ik beroemd zijn.'

Moeder Taal trok haar neus op. 'Jij bent beroemd
om niks. Als je nou nog een prachtige roman had
geschreven of zoiets.'

Moedersmoeder zette haar gehoorapparaat uit.
Ze kon niet tegen dat gehakketak.

'Wie vind je nou echt het liefste?' vroeg Draagmoeder verlegen van boven.

'Ik weet het niet,' zuchtte ik.

'Je wilt het gewoon niet vertellen,' bromde Koek.

'Het is bijna moederdag,' zei Elonora. 'Dan zullen
we het wel merken.'

'Ja,' riep Grootmoeder. 'De liefste moeder krijgt
natuurlijk het mooiste cadeau.'

Er viel een vaas van de kast in duizend stukken.
Schoonmoeder haalde stoffer en blik en veegde de
scherven bij elkaar.

Moederbedrijf

Ik had twee weken de tijd om voor mijn tien
moeders cadeautjes uit te zoeken. Mijn zakgeld was
lang niet genoeg om voor elk wat wils te kunnen
kopen. Ik moest een baantje vinden.

De moeder van Pleun had een eigen bedrijf.

Het bestond uit een zuivelfabriek en een
bijbehorende winkelketen. Ook in onze stad was een
filiaal. Daar vulde Pleun op zaterdag de rekken met
eieren en pakken melk. Haar vader deed de kassa en
haar grote zus Lenie stond achter de kazen.

'Kunnen jullie nog iemand gebruiken?' vroeg ik.
'Ik wil wat bijverdienen voor moederdag.'

Pleun nam me na schooltijd mee naar de winkel
en keek haar vader lief aan. 'Dit is Sjoerd. Hij wil
hier een poosje komen werken.'

De vader van Pleun kneep in mijn armen.
'Mmm, die zijn maar magertjes. Voor het laden en
lossen heb je veel kracht nodig.'

Ik verzekerde hem dat ik sterker was dan ik eruit-
zag. Toen mocht ik het proberen.

Een grote vrachtwagen parkeerde op het plein
achter de zaak. De chauffeur liet de pallets met een
soort liftje naar de straat zakken. Daarna moest ik ze
op karretjes naar de voorraadkamer rijden.
Vandaar verhuisde ik bekertjes slagroom,

karnemelk, yoghurt en aanverwante artikelen naar de winkel. Ik zette ze bij Pleun neer, die ze dan netjes in de schappen legde.

Pleun beloonde me met glimlachjes en zoentjes in de lucht. Ik vond het niks dat ze zo verliefderig deed. Maar haar vader spekte mijn kas en dat maakte veel goed. Aan het eind van de week was mijn geld verdriedubbeld.

Op zaterdag werkte ik de hele dag. Ik was bezig met het opstapelen van dozen met scharreleieren toen een meisje met een klokrokje de zaak binnen kwam. Mijn hart stond stil. 'Sjoerd!' riep Pleun toen ik een doos liet vallen.

Gele smurrie droop over de neus van mijn schoen en liep in straaltjes naar de vloer.

'Ik haal even een doekje,' zei Pleun en weg was ze.

Ik stond oog in oog met Hilda. De kapotte eieren,

de schappen en de vader van Pleun bestonden niet meer. Ik vergat zelfs mijn tien moeders. De grond onder mijn voeten veranderde in een onbewoond eiland. Ik hoorde palmbomen ruisen en Hilda's ogen hadden de kleur van de zee.

'Sjoerd?' vroeg ze met kabbelende golfjes in haar stem.

'Hilda,' fluisterde ik en ik strekte mijn armen uit.

Pleun verbrak de betovering.

'Ga eens opzij,' commandeerde ze Hilda en ze ging met een natte doek aan mijn voeten liggen. Ze veegde het eigeel van mijn schoen en wiste de vloer. Hilda keek zwijgend toe en draaide zich om.

'Ik ben op jou!' schreeuwde ik wanhopig.

Die stomme Pleun begreep me verkeerd.

'Dat komt dan goed uit, want ik ben ook op jou,' zei ze met een waterig lachje tegen me.

Hilda liep naar buiten en sloot de deur met een klap.

'Ik bedoel jou niet, stommerd,' snauwde ik tegen Pleun. 'Ik ben op Hilda en nou is ze weg.'

Pleun sloeg me nijdig met de doek om mijn oren.

'Ik zal jou nog eens aan een baantje helpen, zeg.'

Ik duwde haar opzij en rende de winkel uit.

Hilda was verdwenen. Ik rook alleen haar geur nog.

Moederdag

Pleun wilde van me af, maar haar vader vond dat dat niet kon.

'Zaken gaan voor het meisje,' zei hij.
'Zolang Sjoerd zijn werk goed doet, heb ik niks te klagen.'

Pleun klaagde wel. 'Wat heeft Hilda dat ik niet heb?'

Ik ging gauw een nieuwe lading melk halen.

Vlak voor moederdag had ik genoeg geld om cadeautjes te kunnen kopen. Ik liet ze netjes inpakken, met strikken eromheen.

Op zondag was het prachtig weer. Alle moeders zaten vol verwachting op het gazon. Alleen Bom-moeder stond verdekt opgesteld als een boompje.

'Ik wil eerst,' riep Elonora.

'Je moet netjes op je beurt wachten,' zei Koek.

We besloten erom te dobbelen. Wie als eerste zes gooide, mocht haar pakje uit de stapel zoeken. Grootmoeder won.

'Een spel kaarten,' zei ze chagrijnig. 'Wat een klein cadeau voor een Grootmoeder.'

'Ik leer u patience spelen, dan hoeft u zich overdag niet zo te vervelen,' legde ik uit.

Koek kreeg een goudkleurige kroon. Ik had er zo mooi mogelijk keukenprinses op geschilderd.

'Wat een prul. Je kunt er niet eens mee koken,' simde ze. 'Ik had minstens een pannenset verwacht.'

Voor Elonora had ik een handspiegeltje gekocht. Ze keek immers het liefst naar zichzelf.

'Ik rekende op juwelen. Een bontjas desnoods,' zei ze, toen ze in het glas staarde. 'Jakkie, ik krijg een pukkel van teleurstelling.'

Schoonmoeder was volgens mij alleen geïnteresseerd in schoonmaken. Daarom had ik een flinke fles Ajax voor haar gekocht. Ze bleek echter net als ik van voetballen te houden.

'Wat moet ik nou met Ajax,' gromde ze.

'Ik ben voor Feyenoord, oen!'

Ze smeet de fles door de lucht.

'Au!' riep het Bommoederboompje dat de Ajax op haar hoofd kreeg.

'Wat was dat?' vroeg Draagmoeder met gespitste oortjes.

Moeder Aarde leidde snel onze aandacht van haar zusje af.

'Ik ben aan de beurt.' Ze scheurde haar pakje open. 'Nog meer aardewerk.' Zuchtend bekeek ze de kop en schotel. Voor mijn liefste moeder stond erop.

Met pijn in het hart maakte ik mee hoe mijn zorgvuldig uitgezochte cadeautjes een voor een werden afgekraakt. Ik gaf Draagmoeder een slab,

zodat ze haar jurk niet zou onderknoeien bij het
eten.

'Dat ding draag ik niet, hoor Sjoerd. Ik draag
liever oorbellen,' zei ze zachtjes.

Moeder Taal vond haar stripboek maar flut.

'Veel te veel plaatjes,' mopperde ze.

Voor Moedersmoeder had ik een zakdoek
ingepakt, met haar naam erop geborduurd.

'Ik gebruik altijd papieren zakdoekjes,' knorde
ze. 'Ik heb liever een elektrische rolstoel of een liftje
aan de trap. Met zo'n slome zakdoek kom ik
nergens.'

Ik vestigde al mijn hoop op Overblijfmoeder.
Omdat ze zo op een hond leek, was ze mij het aller-
liefst. Ik had bij de slager een lekkere kluif voor haar
gekocht.

'Dat lust ik niet,' zei Overblijfmoeder met
trillende stem. 'Ik wil geen hond meer zijn, maar

moeder. Ik wil niet overblijven, maar erbij horen.'

Ik schoof het laatste cadeau naar Bommoeder toe. Een schminkdoos om zich nog beter te kunnen vermommen.

'Die is voor u,' zei ik luid. Het kon me niks meer schelen, dat iedereen haar zag. Mijn dag was verpest. Mijn leven vergald door tien ondankbare moeders.

Een loeder van een moeder

'Wie is dat?' krijste Elonora. 'Deze moeder heb ik nooit gezien.' Ze liep met haar lange nagels in de aanslag op Bommoeder af.

'Dat is mijn zus,' wierp moeder Aarde zich in de strijd. 'Familie gaat voor bekendheid.'

'Ik wil die doos hebben,' gromde Elonora. 'Mijn oogschaduw is bijna op.'

Moeder Aarde duwde Elonora ondersteboven en trok haar ketting stuk. Als dauwdruppeltjes rolden de parels in het gras.

Moeder Taal vouwde vliegtuigjes van de blad-zijden uit haar stripboek en wierp ze in de lucht.

'Niet doen!' riep Schoonmoeder. 'Je maakt er een rotzooitje van.'

'Bemoei je met je eigen zaken, domme poetslap,' snauwde moeder Taal en ze rotzooide verder.

'Ik wil die kop en schotel,' zei Overblijfmoeder. 'Ik wil de liefste moeder zijn.'

Moedersmoeder deed haar kunstgebit uit en nam het tussen duim en wijsvinger. Ze gebruikte het ding als poppenkastpop. De tanden gingen open, dicht, open, dicht. Iedereen die in haar buurt kwam, werd gebeten.

'Die oude druif is gek geworden,' brulde Draag-moeder en ze tilde Moedersmoeder met stoel en al op om haar een paar meter verder weg te smijten. De rolstoel kwam weer op zijn wielen terecht en schoof in een rozenstruik.

'Hoe durf je?' gilde Bommoeder en ze werd vreselijk agressief. Ze had in het leger geleerd om flinke klappen uit te delen.

Mijn moeders waren in loeders veranderd. Ze buitelden vechtend over het gazon en trokken elkaar de haren uit. Ze scholden elkaar uit voor rotte vis en sloegen elkaar bloedneuzen en blauwe ogen.

'Hou op!' schreeuwde ik.

Heel eventjes was het stil. Mijn moeders lagen als bevroren op de grond, met uitgestoken armen en gebalde vuisten.

'Mijn oude moeder was al blij met een verf-tekening,' zei ik. 'Het gaat niet om de grootte van een cadeau, maar om het gebaar.'

Koek schoot in een hysterische lach. 'Wat een ape-kool, Sjoerd!' Ze gaf Elonora een mep op haar hoofd. 'Dat heb ik altijd al willen doen, kapsonestrut.'

Ogenblikkelijk zette de hele film zich weer in beweging.

Niemand hield rekening met mijn gevoelens.

'Loeder van een moeder!' riep ik in het algemeen.

Grootmoeder keek me met dreigende ogen aan. 'Zeg dat nog eens, als je durft,' brulde ze harder dan ooit.

Windkracht tien stak op en de villa stortte in.

Een kwaad kind

Ik staarde geschrokken naar de puinhoop.
Zelfs meneer Meetlatjes zou hier niets meer aan
kunnen doen.

De loeders van moeders zaten onder een laagje
stof en keken schuldbewust. 'Sorry, Sjoerd,'
fluisterde Grootmoeder.

Ik voelde dat ik ging ontploffen. 'Sorry?' gromde
ik. Het was of mijn kop in brand stond. Al mijn
spullen, mijn kleren en zelfs mijn televisie waren
geplet. Ik had helemaal niets meer.

'Vuile, gemene, akelige, lelijke loeders,' siste ik
en mijn ogen spuwden vuur. Met trillende benen
stapte ik op mijn moeders af. Ik wilde ze slaan,
schoppen en met huid en haar verslinden.

'Ik geloof dat hij gevaarlijk boos is,' piepte
Bommoeder en ze deed een pasje achteruit.

'Ja, hij lijkt erg veel op een grote gemene jongen,'
zei moeder Taal angstig.

De moeders kropen dicht bij elkaar en
Grootmoeder speelde voor schutting. Ik maakte
geen schijn van kans.

'Jullie zijn een stelletje heksen,' schreeuwde ik en
ik rende naar het tuinhek.

'Waar ga je naartoe, Sjoerd?' vroeg Overblijfmoeder zenuwachtig.

'Ik loop weg,' brulde ik. 'En ik kom nooit meer terug. Jullie bekijken het maar!' Ik stak de straat over en holde in de richting van de Ooievaarsweg.

Met bonkende slapen ging ik op het bankje bij de bloemist zitten. Pas na een uurtje of wat begon mijn woede een tikkeltje te zakken.

De loeders van moeders hadden er minder moeite mee.

'Daar gaat ons kind,' snikte Overblijfmoeder, toen ze me weg zag lopen.

'Geeft niks. We zoeken gewoon een nieuwe zoon,' zei Elonora. 'Eentje met meer geld om grotere cadeaus te kopen.'

'En met een kast van een huis,' zei Grootmoeder.

'En met een loei van een tuin,' zei moeder Aarde.

'Zal ik een advertentie opstellen?' vroeg moeder Taal.

'Welnee, we plukken er gewoon eentje van de straat,' besliste Koek. 'Kijk, daar komt al een jongen aan.'

'Dat is geen jongen, maar een krokodil,' verbeterde moeder Taal.

'Wat maakt dat nou uit?' zei Schoonmoeder. 'Als hij maar niet vuil is.'

'Kom op!' riep Moedersmoeder, die aan de wielen van haar rolstoel sjorde. 'Anders is hij al voorbij.'

In een lange sliert liepen de moeders de tuin uit.

Een vader en een hond

Toen de mist in mijn hoofd was opgetrokken, zag ik een meisje voor me staan. Ik moest drie keer met mijn ogen knipperen voordat ik het kon geloven. Het was Hilda!

Aan haar voeten lag een tekkel, die een worstje naar binnen schrokte.

'Hoi,' zei ik verrast en mijn wangen werden rood.

Ze bekeek me van voren, van achter en opzij. 'Waar is Pleun?'

'Ik ben niet op Pleun,' zei ik. 'Ik had het in de winkel tegen jou.'

'O.' Ze schoof naast me op de bank. 'Wil je ook een worstje?'

Ik schudde mijn hoofd.

'Ik heb geen tijd. Ik trek de wijde wereld in. Ik ben sinds kort moederziel-alleen.'

Hilda sloeg een arm om me heen en ik voelde mijn tenen in mijn schoenen krullen.

'Ik heb ook geen moeder,' zei ze. 'Maar wel een aardige vader. Zal ik vragen of je bij ons mag komen wonen?'

Ik dacht aan mijn moeders en aarzelde.

'Het is bijna vaderdag. Ik ben niet goed in cadeautjes uitzoeken.'

'Dat is niet erg,' sprak Hilda.

'Mijn vader wil altijd alleen maar een mooie verftekening.'

De geur van framboos kroop in mijn neus en het werd warm in mijn buik.

'Zo'n vader wil ik wel.'

De tekkel was uitgegeten en sprong op mijn schoot.

Ik aaide zijn ruwe vacht. Het was een betere hond dan welke moeder dan ook.

'Kom,' zei Hilda. 'Dan gaan we naar huis.'

Onderweg zoefde een krokodil op rolschaatsen voorbij.

'Help!' riep hij. 'Ik word achternagezeten door tien dwaze moeders.'

Snel liep ik door. Ik had geen moeder meer nodig. Ik kreeg een vader en een hond. En Hilda was hartstikke lief.

Inhoud

Mirjam Mous

Geboren: 7 november 1963
Woont in: Breda
Samen met: haar vriend Wim
Huisdieren: salamanders, padden en kikkers

Hobby's: lezen, reizen, films kijken en naar de schouwburg gaan
Lievelingskleur: zwart
Favoriete muziek: Portishead, tango en klassiek
Favoriete kinderboek: Het vlot, van Wim Hofman

Over Mirjam

Mirjam groeide op in Made in Brabant. Ze had geen broertjes of zusjes, maar ze verveelde zich nooit. Mirjam las namelijk alles wat los en vast zat. Hoe dikker de boeken, hoe liever.

Toen zaten er al verhaaltjes in haar hoofd. In de klas dagdroomde ze vaak. Daardoor lette ze niet goed op. Gelukkig hadden de meesters en juffen dat meestal niet in de gaten. Mirjam vindt het heerlijk dat ze nu met dagdromen haar geld verdient. Ze hoeft de verhalen alleen nog op te schrijven.

Meteen toen Mirjam kon lezen, wist ze dat ze schrijfster wilde worden. Toch ging ze werken als juf op een school voor kinderen met problemen. Dat werk doet ze nog steeds een paar dagen per week. Ze kan haar leerlingen niet missen. Voorlezen en taal zijn natuurlijk haar lievelingsvakken.

Van binnen voelt Mirjam zich nog steeds een beetje een kind. Daarom schrijft ze liever voor kinderen dan voor volwassenen. Ook houdt ze van boeken die goed aflopen. Ze vindt dat er in 't echte leven al genoeg ellende is.

Over het schrijven van boeken

Op de school waar Mirjam werkt, krijgt ze veel ideeën voor boeken. Ze kan er testen of haar nieuwe verhalen goed zijn. In het boek *Allemaal nijlpaarden* komen een hoop leraren voor die ze kent van school. Mirjam schrijft haar boeken op de zolderkamer in haar verbouwde boerderijtje. Meestal maakt ze boeken, maar ze schrijft ook verhalen voor Okki. Mirjam wil kinderen graag aan het lezen krijgen. Ook kinderen die liever computerspelletjes spelen. Daarom gebruikt ze taal die kinderen goed begrijpen. En ze zorgt ervoor dat de verhalen grappig zijn en niet suf!

De boeken van Mirjam Mous

Toontje Prins
Jammie mammie
Tover-fanten
Een bloot spook
Harige Harrie
De juf is een heks
Allemaal nijlpaarden!
Langejan
Een loeder van een moeder
Monsters mollen!
Ouders te koop
Pistolen Paula
Soep met een luchtje
Vigo Vampier – Een bloedlink partijtje
Vigo Vampier – Een bloeddorstige meester
Vigo Vampier – De bloedneusbende
Goed fout!
Moordmeiden

Meer weten?

www.mirjammous.nl

Of kijk snel op **www.boektoppers.nl**. Hier vind je handige links en info over andere leuke boeken!